El Perro del Cerro y la Rana de la Sabana

Ana Maria Machado

Versión en español de Clarisa de la Rosa

Ilustraciones de Peli coloreadas por Irene Savino

EDICIONES EKARÉ

EDICIONES
ekaré

Traducción y adaptación: Clarisa de la Rosa
Dirección de Arte: Irene Savino

Novena edición, 2007

Edif. Banco del Libro, Av. Luis Roche, Altamira Sur, Caracas 1062, Venezuela. www.ekare.com

Publicado originalmente por Editora Atica · Título original: O gato do mato e o cachorro do morro

ISBN 980-257-021-4 · HECHO EL DEPÓSITO DE LEY · Depósito Legal lf15119988001164
Impreso en Caracas por Gráficas Acea

Había una vez una rana que vivía en una sabana.
Una rana de la sabana.
Y había una vez un perro que vivía en un cerro.
Un perro del cerro.

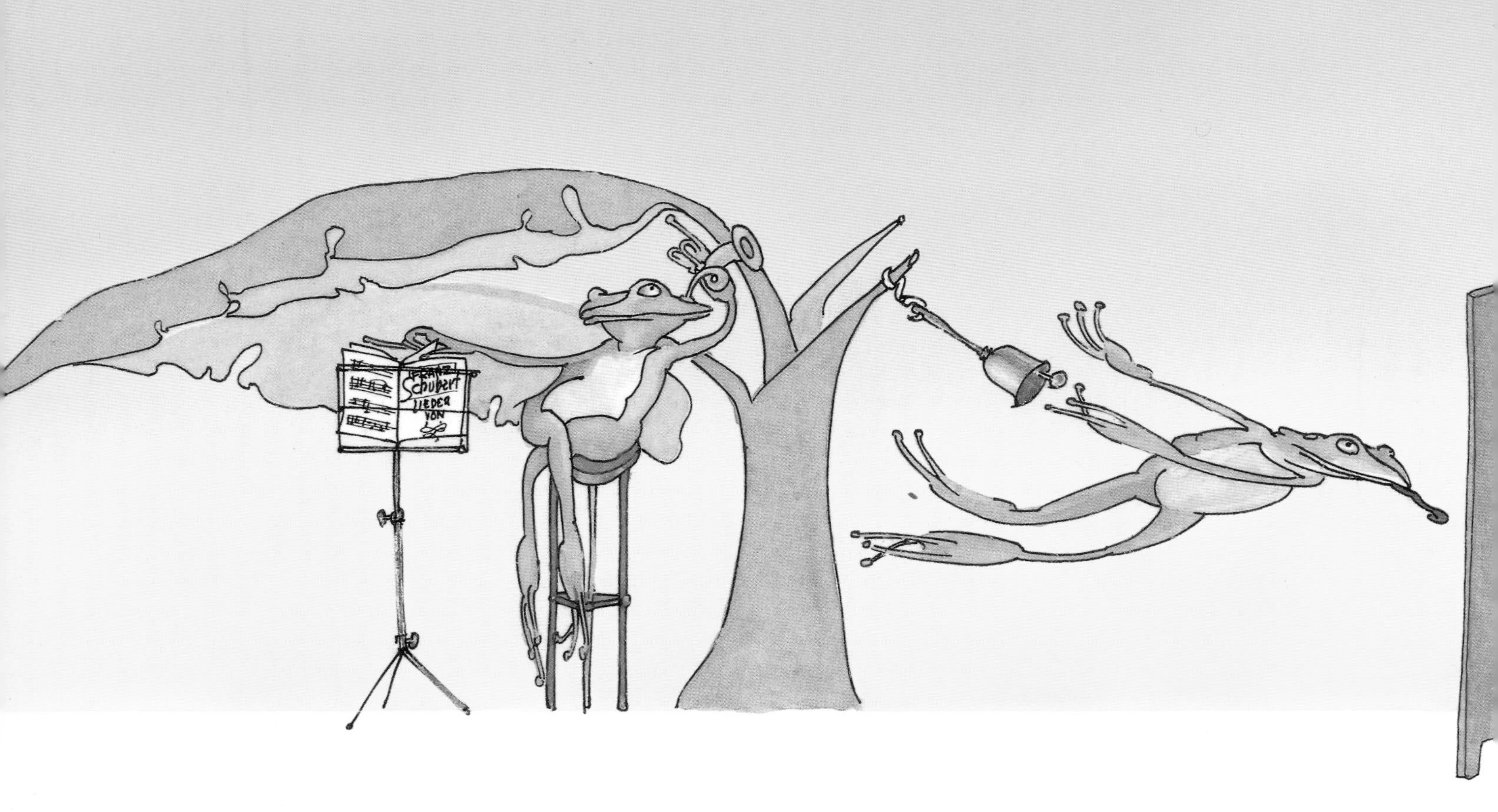

Una mañana, cantaba la rana en su sabana,
cuando oyó: "¡Socorro! ¡Me muero!"
La rana dio un brinco y tocó su campana.

— ¿Quién se muere? ¿Un gato? ¿Un pato? ¡Allá voy, yo lo rescato!

— ¿Quién se muere?
¿Un gato?
¿Un pato?
¡Allá voy, yo lo rescato!

Pero no había gato, ni pato. Era el perro del cerro,
berreando como un becerro.
— ¡Ay, me muero! Me quemé todo el cuero. Si no es por
el agua del tinajero, me pelo entero.
— ¿Y eso era todo? –reclamó la rana–. ¡Qué llorón! ¡Qué cobarde!

— No soy cobarde, es que me arde.
Y así, sin razón, se armó la discusión.
— ¡Perro piojoso, perro miedoso!
— ¡Rana pelona, rana bocona!

Al oír el alboroto, los animales formaron un zaperoco.
— ¡Que se calle la rana! –gritó el camaleón–. El perro tiene razón.
— ¡Mentira! –contestó el ratón–. El perro es cobarde y llorón.
Entonces, el perro y la rana decidieron apostar
quién era el más valiente del lugar.

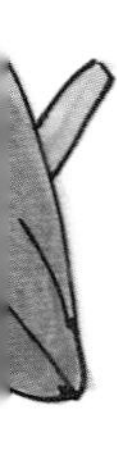

Dijo el perro del cerro:
— ¡Haré mazapán con los dientes
del caimán! ¿Qué tal?

Y la rana de la sabana:
— Ah, pues. Le arrancaré la piel
a la culebra cascabel.

Y se fueron los dos
a buscar bestias salvajes
para probar su coraje.

La rana, rabiosa, amenazó a la mariposa.
— ¡Gran cosota! –se rió la gaviota.

El perro, endemoniado, le ladró al rabipelado.
— ¡Ay, qué pazguato! –se burló el araguato.

De pronto, se escuchó
un rugido aterrador.
— ¡El león! ¡Qué pavor!

Los animales asustados,
corrían por todos lados.
El perro se escondió en su cerro. La rana, en su sabana.

Y allí se quedó el león,
arrogante y bravucón.
Rugió de tal manera
que espantó a la selva entera.

Por dos semanas y pico, ninguno asomó el hocico...
Al fin, la rana y el perro se aburrieron del encierro.
— A este león zoquete –dijeron–, lo haremos majarete.
Y salieron.

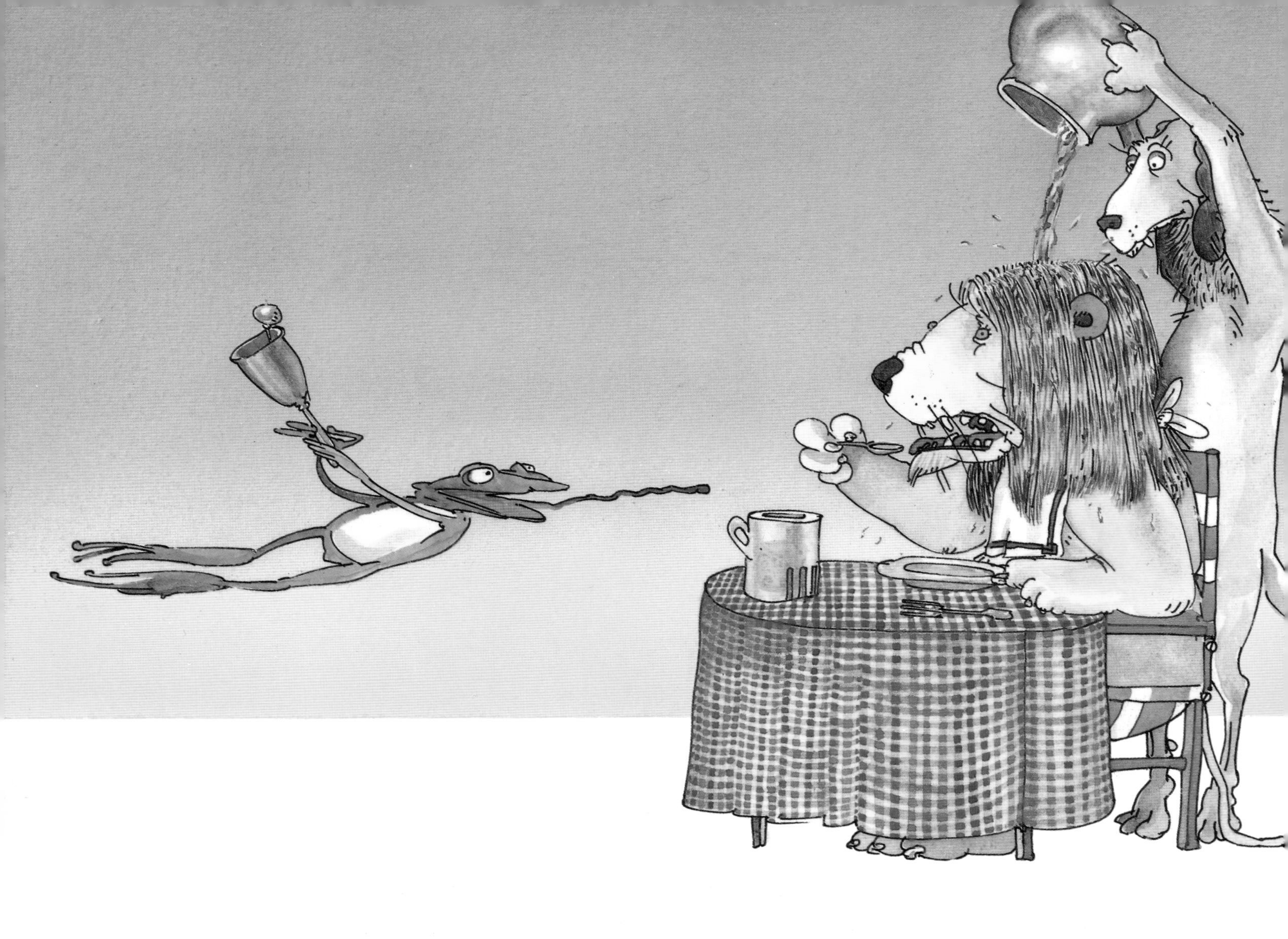

El perro le vació la tinaja. La rana repicó la campana.

Y a una señal de la lapa, todos le cayeron en cayapa.
La danta le apretó la garganta, el conejo le jaló el pellejo,
el ratón le dio un bofetón, y el jabalí... lo mordió ahí.

El león no aguantó más.
Se fue echando para atrás,
para atrás, para atrás.
Desapareció y no lo volvieron a ver jamás.

La rana y el perro se hicieron amigos.
— Es bueno pelear, pero no contigo.
— ¿Y si vuelve el león?
— Juntos le damos un pescozón.